pijn in mijn buik

Tamara Bos

met tekeningen van Tineke Meirink

kim

moos

jip

jan

saar

tijn

guus

pijn in mijn buik

'au!' roept kim.
'au! au! au!'
kim gilt.
kim heeft pijn.
'waar is de pijn?' zegt mam.
'in mijn buik,' huilt kim.

wat naar.
mam kijkt lief naar kim.
ze geeft een kus.
'het gaat wel weg,' zegt ze.
'als je zwemt, gaat de pijn weg.'
kim weet het niet.
ze heeft geen zin.
geen zin in de les.
dus komt de pijn.
de pijn in haar buik.

mam kijkt lief.
ze veegt de neus van kim.
ze dept het oog van kim.
ze geeft een kus.
'kom, we gaan,' zegt mam.

8

'ik wil niet.
ik ga niet!'
kim gilt.
ze is boos.
heel boos.
mam is het zat.
'hou nou op,' zegt mam.
'we gaan.
pak je jas, kim.'

kim wil niet

'kom!'
mam pakt kim beet.
'we zijn laat.'
mam loopt heel snel.
ze trekt kim mee.

mam wijst.
'daar is het bad al.
het zwembad.'
kim knikt.
ze kent het bad.
het is er leuk.
maar of de les ook leuk is?
kim weet het niet.

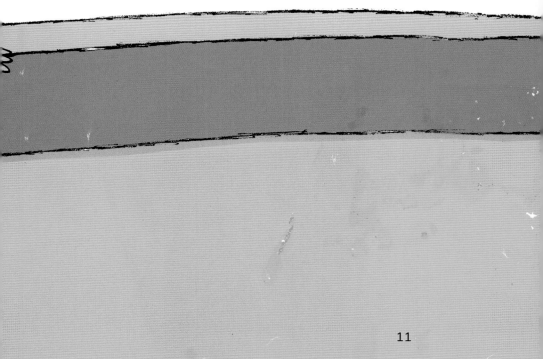

'kom, kim,' zegt mam.
'trek je jas uit.
doe het maar vlug.'
kim wil het niet.
maar ze doet het wel.
want mam kijkt raar.
als mam zo kijkt,
moet kim doen wat ze zegt.
dat weet ze heus wel.

kim doet haar jas uit,
en haar rok,
en haar sok,
en nog een sok.
brrrr, kim rilt.
het is zo bloot.

mam heeft het warm.
maar zij heeft haar jas nog aan.
dan is het heel warm.

daar is het bad.

er staat een man bij.

zijn pak is wit.

zijn sok is wit.

wit wit wit.

'ik ben jan,' zegt de man.

'jan van het bad.'

kim pakt mam beet.

'laat mam maar los,' zegt jan.

'en geef een kus.

hup hup, toe maar.'

kim doet wat jan zegt.

ze geeft een kus.

'dag mam.'

'dag kim.'

kim voelt een traan.
en nog een en nog een.
kim huilt.
jan ziet het.
'kom maar mee,' zegt hij.
'het is heel leuk, hoor.
let maar op.'

moos is er ook

'kim! kim! kim! hier ben ik!'
kim kijkt op.
wie is dat?
dat is moos.
moos van de klas.
moos is leuk.
hij doet vaak maf.
met moos maak je lol.

17

'hee kim,' vraagt moos.
'zit je op les?'
kim knikt.
'ik ook,' zegt moos.
dat snap ik, denkt kim.

'kijk,' zegt jan.
'dit is kim.
en dit is moos.
en guus is er.
en saar ook.
dit is tijn.
en dat is jip.'

jan doet zijn sok uit.
en nog een sok.
hij rolt een pijp op.
en nog een pijp.
geen pijp met rook.
de pijp van zijn broek.
dan stapt hij in het bad.
'kom,' roept hij.
'kom maar!'

mijn voet is nat

moos holt.
hij hipt.
en valt in het bad.
moos is nat.
kim aan de kant ook.
'oo,' zegt moos.
'dat was dom.'
'nee hoor,' zegt kim.
'ik kom er ook in.'

kijk, nou.
kim gaat ook in het bad.
jan steekt zijn duim op.
'goed zo, kim!'
nu gaat guus ook.
en jip.
en tijn.
het bad is vol.

'kom,' zegt jan.
'loop maar door het bad.
maak je been maar nat,
en je buik,
en je toet,
en je voet.'

'mijn voet is al nat,' gilt tijn.
'mijn voet ook,' zegt guus.
huh?
jan kijkt gek.
'oo ja,' zegt hij.
'mijn voet is ook nat.
ik ben een oen.'

saar zegt:

'jan de man van het bad is nat.

dat is een rijm.'

'ja,' zegt jan.

'een heel mooi rijm.

kom maar mee.

loop door de zee.'

'dat is ook een rijm,' zegt kim.

'ja,' zegt jan.

'ik rijm ook.'

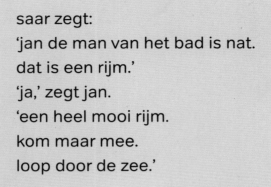

naar huis

er is geen les meer.
jan gaat weg.
kim gaat ook naar huis.
met mam.
kim heeft trek.
haar maag zeurt.
ik wil wat, ik wil wat.

ze zijn in huis.
kim eet soep.
met mam.
en met pap.
'hoe was de les?' zegt pap.
kim straalt.
'leuk, heel leuk.
moos was er ook.
en saar en tijn.
en guus en jip.
en ik liep door het bad.'
'wat een lol,' zegt pap.

'en je buik?
nog pijn?'
kim voelt.
nee, geen pijn meer.
niets meer.
de buik is blij.
blij met de soep.
dat is fijn.
heel fijn.

27

zoek, zoek, zoek!

zoek en tel maar.
hoe vaak zie je kim?
en hoe vaak zie je moos?

zie je ook een poes?
wat eet kim?

lees dit boek ook:

ik lees!

de tas
van moos

Tamara Bos en Tineke Meirink

zwijsen

1e druk 2011

NUR 287
ISBN 978.90.487.0990.8

© **Uitgeverij Zwijsen B.V., Tilburg, 2011**
Tekst **Tamara Bos**
Illustraties **Tineke Meirink**
Pictogram zwemles **Tineke Meirink**
Vormgeving **Masja Mols**

Voor België:
Uitgeverij Zwijsen.be, Antwerpen
D/2011/1919/178